迪士尼 **我会自己读** 第**3**级

米妮开店

童趣出版有限公司编　　人民邮电出版社出版

北　京

缓步出发大步走

儿童阅读的作用和意义，家长们已经达成共识，不再需要热烈讨论。不过，家长们还是有一些普遍困惑，例如，孩子在幼儿园要不要识字？通过什么方式识字？孩子在幼儿园不识字能否应对小学之初的压力？如何处理父母读和自主读的关系？阅读兴趣和语言学习如何兼顾？

这套书正是为了解答上述疑惑而编写的。编写者希望在儿童阅读的纷繁流派中，坚持一些基本观点，探索中国孩子学习阅读的独特途径。这些观点主要如下：一、早期阅读要把阅读兴趣的培养放到最重要的位置来考虑；二、通过这套书让孩子在幼儿园认识 400 个常用字，为小学阶段的学习减轻压力和奠定基础；三、不鼓励父母用识字卡片的方式教孩子识字，把生字放到故事中更有意义；四、在小学三年级的阅读关键期，实现孩子自主阅读；五、幼儿园阶段既鼓励亲子阅读，又鼓励孩子自主阅读。由此，这套书主要有如下特点：

科学性。从选择高频、简单、构词能力强的字先认，到通过各种方式复现，再到故事内容的打磨，最后培养出优秀的阅读者。从分级阅读的角度，综合考虑生字、生词、句子长度、主题深浅等多个因素，编写出难度递增的故事。

趣味性。选择了迪士尼的漫画人物和漫画故事作为主要内容，降低阅读难度，增强阅读趣味。由于有识字的安排，创作故事犹如"戴着镣铐跳舞"，但故事仍然精彩十足，劲道十足。

功能性。把识字放在重要位置，同时兼顾文学性。和时下流行的图画书不同，本套书把学习功能放到重要位置。希望通过有趣的故事，让孩子认识汉字，早日实现自主阅读。

希望通过这套书，帮助孩子在阅读之路上缓缓起步，培养自信，锻炼能力，然后再大步流星，一路前行，成为趣味高雅、兴趣充盈的阅读者！

王林（儿童阅读专家）

米妮开店

店 点

在一个美丽的春日，米妮 的店要开门了！朋友们好高兴啊！

唐老鸭 说："开门了！开门了！走，咱们进去看看吧！"

4

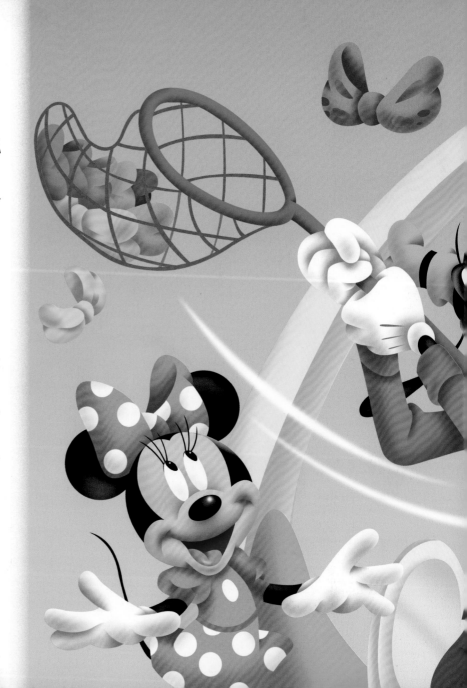

　　大家来到米妮的店里，看见好多会飞的 蝴蝶结，有红的，绿的，黄的，蓝的，真好看！高飞飞快地跑来跑去，不一会儿，他的网子里就有七个 蝴蝶结 了。

胡
湖

想找一个好看的蝴蝶结 哈给他的阿姨。

破被

可是，他一个不小心，掉了一地。飞快
地跑开了。

蝴蝶结　　　　　　　皮特

　　好在朋友们来了，大家很快把地上的又放了回去。
蝴蝶结

　　看到了，心想：
皮特

我最后来找想要的吧！
蝴蝶结

大家都得到了想要的蝴蝶结。布鲁托 得到了一个 骨头蝴蝶结，
开心地笑了。

的 也很棒，是一个蓝色的 照相机蝴蝶结。
唐老鸭　蝴蝶结

想几

"朋友们，听见了吗？" 米妮 给了 米奇 一个 麦克风蝴蝶结。

克拉贝尔 的 蝴蝶结 上的花儿真好看！

"快来啊，高飞！" 米奇 说，"这里有好多好多会飞的 蝴蝶结 ！"

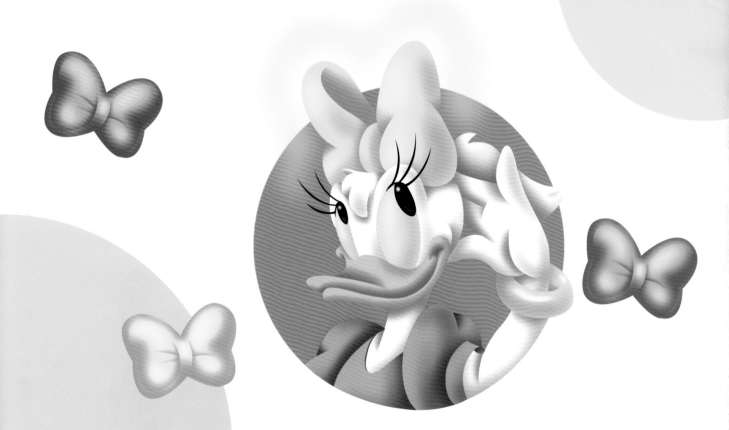

“我很开心！”  说。
黛丝

这是一个 ，开心时是黄的，不开心时是蓝的。
心情蝴蝶结

的蝴蝶结 最美，一会儿是白色，一会儿是红色，

一会儿又是七色的！

大家都有了蝴蝶结。最后，皮特来了，他想找一个蝴蝶结给他的阿姨。可是他找到的是风扇蝴蝶结！大风把羽蝴蝶结都吹跑了。

好在朋友们把大风吹跑的东西找了回来。

米妮 说："看来这个 风扇蝴蝶结 很不好。"

"这个  风扇蝴蝶结 很好啊！" 皮特 开心地说，"我的 阿姨

是 厨师，她得到这个 风扇蝴蝶结 会很高兴的。"

看到大家都找到了心爱的 蝴蝶结， 米妮 高兴地笑了。

会开花的蝴蝶结

这天，有两个小朋友要到米妮的店里玩。

可是，米妮 和 黛丝 找不到 照相机 了。

米妮 一回头，看到了 照相机，她开心地说："在这里

啊！" 黛丝 也高兴地笑了。

不一会儿，米妮 听到有人在外面说笑。"是她们来了！"

和高兴地跳了进来。
米莉　米乐迪

"我是蓝色花朵。"

"我是红色花朵。"

好美啊！笑一个！

 米莉 和  米乐迪 高兴地笑啊、跳啊……可是，她们的头上有

几个 花瓣 掉了下来。

小鸟飞了进来，说："小心啊，花瓣 在掉呢。"

两个小朋友没有听到，还在跳。

又有很多的  花瓣 掉了下来。

两个小朋友头上没有  了，可是她们开心地跳啊，
花瓣

笑啊，什么也没看到……

她们跳着跳着，看到了地上的  花瓣。两个人伤心地哭了。

她们想要  米妮 给她们做两个头花。

米妮 说："好吧。你们不要哭了，我们马上做！"

"看，我这里有最好的  ！" 说。
胶水 黛丝

可是，又掉下来了。
花瓣

两个小朋友又哭了起来。米妮说："不要哭了，看我的！"

"我有很多好看的 丝带。"

"可是 丝带 不是 花瓣 啊！"

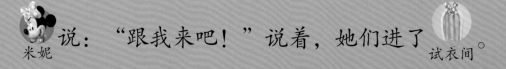说："跟我来吧！"说着，她们进了试衣间。

40

黛丝 和小鸟在外面，听到她们在 试衣间 里开心地大笑，很想看看 米妮 做了什么。

不一会儿，她们出来了。米妮说："快来

看看吧！"

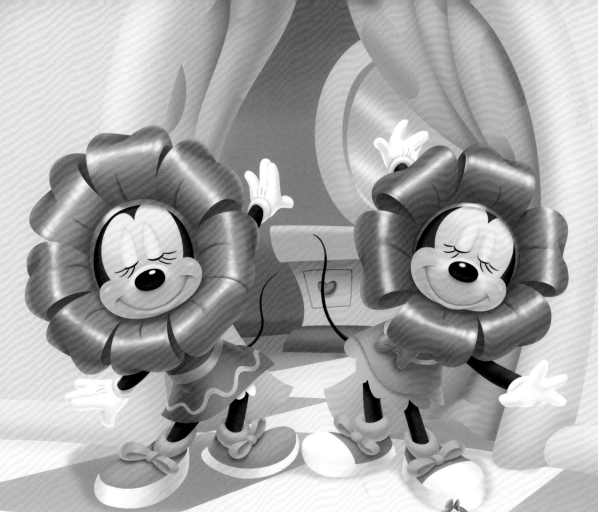

"你把 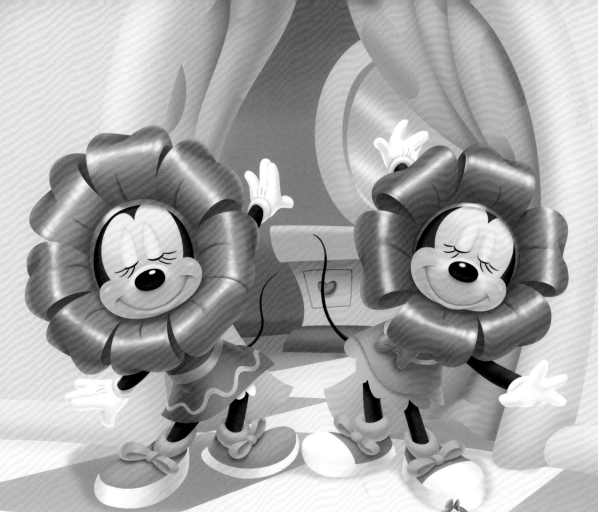 丝带 做成了花！好棒啊！" 黛丝 说。

 米莉 和 米乐迪 高高兴兴地跳啊，笑啊。这回， 花瓣 一个也没有掉下来。

游戏测试页

米妮的蝴蝶结有各种各样的颜色，非常漂亮。小朋友，你能帮助米妮把下面的蝴蝶结涂成相应的颜色吗？

皮特的阿姨收到了皮特送给她的 ，非常开心。这样她在做
风扇蝴蝶结
饭的时候就可以吹着风，一点儿都
不热了。阿姨给皮特写了一张感谢
的小卡片，请你看一看，应该是哪
一张呢？

亲爱的皮特：

　我非常喜欢你

送我的 ，谢
风扇蝴蝶结

谢你！

　阿姨

亲爱的皮特：

　祝你每天都

开心！

　阿姨

游戏测试页

米妮有一些字，黛丝有一些图。小朋友，你能把米妮这里的字和黛丝那里对应的图连起来吗？

日

吹

哭

超范围字

diàn	zán	jiàn	shí	jiù	diào	hái
店	咱	见	时	就	掉	还

fàng	sè	duǒ	jǐ	ne	chéng	shāng
放	色	朵	几	呢	成	伤

一	二	三	四	五	六	七	八	九	十	两	上	下	大
小	多	少	花	草	天	地	春	鸟	朋	友	出	去	到
来	看	吃	笑	找	爱	玩	的	个	儿	了	只	早	不
高	兴	好	我	你	爸	妈	家	气	山	木	马	森	林
人	子	手	心	门	饭	水	前	后	跑	飞	走	开	回
要	进	坐	生	是	想	谢	做	睡	学	会	快	真	棒
乐	美	丽	很	什	么	们	跟	又	啊	吧	在	得	可
他	她	头	发	口	牙	面	星	日	云	海	河	夏	秋
黄	风	雨	狗	猪	狼	鱼	树	叶	车	船	书	起	说
听	哭	跳	给	喝	吹	关	有	怕	白	黑	红		
蓝	绿	中	里	外	东	西	长	姐	妹	哥			
弟	这	把	没	都	也	哪	吗	着	最	和			

米奇妙妙屋的故事真好看，我还想看！下面的小书你都看过了吗？看过了就在书的旁边打个"√"，没有看过的快去看吧！

专家小贴士

　　建议孩子同一级别的书多读几本，提高重点字的复现率，便于孩子强化巩固已认生字。